David Benkoël
06 62 78 92 61

Illustration de couverture : Olivier Latyk
Poèmes réunis par Isabelle Bézard

Dépôt légal : mars 2002
Loi 49-956 du 16 juillet 1949 sur les publications destinées à la jeunesse

ISBN : 2 7470 0601-8

101 poèmes pour les petits

Illustrés par Olivier Latyk, Jeanne Ashbé,
Lionel Le Néouanic, Kristien Aertssen

BAYARD JEUNESSE

Poèmes pour faire le tour de la Terre

Conversation

(Sur le pas de la porte, avec bonhomie)

Comment ça va sur la terre ?
– Ça va, ça va, ça va bien.

Les petits chiens sont-ils prospères ?
– Mon Dieu oui, merci bien.

Et les nuages ?
– Ça flotte.

Et les volcans ?
– Ça mijote.

Et les fleuves ?
– Ça s'écoule.

Et le temps ?
– Ça se déroule.

Et votre âme ?
– Elle est malade

le printemps était trop vert
elle a mangé trop de salade.

Jean Tardieu

 Monsieur, Monsieur, 1951

La terre

Petit globe de cristal,
Petit globe de la terre,
Je vois au travers de toi
Ma jolie boule de verre.

Nous sommes tous enfermés
Dans ton sein dur et sévère
Mais si poli, si lustré
Arrondi par la lumière.

Les uns : ce cheval qui court
Une dame qui s'arrête
Cette fleur dans ses atours
Un enfant sur sa planète.

Les autres : assis à table
Ou, fumant un petit peu,
D'autres couchés dans le sable
Ou chauffant leurs mains au feu…

[…]

Jules Supervielle

 Débarcadères, 1922

La chanson du rayon de lune

Sais-tu qui je suis ? – Le Rayon de Lune.
Sais-tu d'où je viens ? – Regarde là-haut.
Ma mère est brillante, et la nuit est brune ;
Je rampe sous l'arbre et glisse sous l'eau ;
Je m'étends sur l'herbe et cours sur la dune ;
Je grimpe au mur noir, au tronc du bouleau,
Comme un maraudeur qui cherche fortune.
Je n'ai jamais froid, je n'ai jamais chaud.

[…]

Sais-tu qui je suis ? – Le Rayon de Lune.
Et sais-tu pourquoi je viens de là-haut ?
Sous les arbres noirs la nuit était brune ;
Tu pouvais te perdre et glisser dans l'eau,
Errer par les bois, vaguer sur la dune,
Te heurter, dans l'ombre, au tronc du bouleau.
Je veux te montrer la route opportune ;
Et voilà pourquoi je viens de là-haut.

Guy de Maupassant

 Des vers, 1880

La lune blanche…

La lune blanche
Luit dans les bois
De chaque branche
Part une voix
Sous la ramée…

Ô bien-aimée.

L'étang reflète,
Profond miroir,
La silhouette
Du saule noir
Où le vent pleure…

Rêvons, c'est l'heure.

[…]

Paul Verlaine

 La bonne chanson, 1870

Roman

[...]
Les tilleuls sentent bon dans les bons soirs de juin !
L'air est parfois si doux, qu'on ferme la paupière ;
Le vent chargé de bruits, – la ville n'est pas loin, –
A des parfums de vigne et des parfums de bière...
[...]

Arthur Rimbaud

 Poésies, 1891

Le ciel est, par-dessus le toit…

Le ciel est, par-dessus le toit,
Si bleu, si calme !
Un arbre, par-dessus le toit,
Berce sa palme.

La cloche, dans le ciel qu'on voit,
Doucement tinte.
Un oiseau sur l'arbre qu'on voit
Chante sa plainte.

Mon Dieu, mon Dieu, la vie est là,
Simple et tranquille.
Cette paisible rumeur-là
Vient de la ville.

– Qu'as-tu fait, ô toi que voilà
Pleurant sans cesse,
Dis, qu'as-tu fait, toi que voilà,
De ta jeunesse ?

Paul Verlaine

 Sagesse, 1881

Le pont Mirabeau

Sous le pont Mirabeau coule la Seine
Et nos amours
Faut-il qu'il m'en souvienne
La joie venait toujours après la peine

Vienne la nuit sonne l'heure
Les jours s'en vont je demeure
[...]

Guillaume Apollinaire

 Alcools, 1913

Chanson de la Seine

La Seine a de la chance
Elle n'a pas de soucis
Elle se la coule douce
Le jour comme la nuit
Et elle sort de sa source
Tout doucement sans bruit
Et sans se faire de mousse
Sans sortir de son lit
Elle s'en va vers la mer
En passant par Paris
La Seine a de la chance
Elle n'a pas de soucis
Et quand elle se promène
Tout le long de ses quais
Avec sa belle robe verte
Et ses lumières dorées
Notre-Dame jalouse
Immobile et sévère
Du haut de toutes ses pierres
La regarde de travers
Mais la Seine s'en balance
Elle n'a pas de soucis
Elle se la coule douce
Le jour comme la nuit
Et s'en va vers Le Havre
Et s'en va vers la mer
En passant comme un rêve
Au milieu des mystères
Des misères de Paris.

Jacques Prévert

 Spectacle, 1951

La mer

La mer brille comme une coquille
On a envie de la pêcher
La mer est verte
La mer est grise
Elle est d'azur
Elle est d'argent et de dentelle

Paul Fort

Ballades françaises, 1897-1960

La mer s'est retirée...

La mer s'est retirée,
Qui la ramènera ?
La mer s'est démontée,
Qui la remontera ?
La mer est emportée,
Qui la rapportera ?
La mer est déchaînée,
Qui la rattachera ?

Un enfant qui joue sur la plage
Avec un collier de coquillages.

Jacques Charpentreau

 Poèmes d'aujourd'hui pour les enfants de maintenant, 1992

Bestiaire du coquillage

Si tu trouves sur la plage
un très joli coquillage
compose le numéro
Océan 0. 0.

Et l'oreille à l'appareil
la mer te racontera
dans sa langue des merveilles
que papa te traduira.

Claude Roy

La plaine, les vallons plus loin...

[...]

La plaine, les vallons plus loin,
Les bois, les fleurs des champs,

Les chemins, les villages,
Les blés, les betteraves,

Le chant du merle et du coucou,
L'air chaud, les herbes, les tracteurs,

Les ramiers sur un bois,
Les perdrix, la luzerne,

L'allée des arbres sur la route,
La charrette immobile,

L'horizon, tout cela
Comme au creux de la main.

[...]

Guillevic

 Extrait de « Élégie de Sainte-Croix » in *Avec,* 1966

Le bonheur

Le bonheur est dans le pré. Cours-y vite, cours-y vite. Le bonheur est dans le pré, cours-y vite. Il va filer.

Si tu veux le rattraper, cours-y vite, cours-y vite. Si tu veux le rattraper, cours-y vite. Il va filer.

Dans l'ache et le serpolet, cours-y vite, cours-y vite, dans l'ache et le serpolet, cours-y vite. Il va filer.

Sur les cornes du bélier, cours-y vite, cours-y vite, sur les cornes du bélier, cours-y vite. Il va filer.

Sur le flot du sourcelet, cours-y vite, cours-y vite, sur le flot du sourcelet, cours-y vite. Il va filer.

De pommier en cerisier, cours-y vite, cours-y vite, de pommier en cerisier, cours-y vite. Il va filer.

Saute par-dessus la haie, cours-y vite, cours-y vite, saute par-dessus la haie, cours-y vite ! Il a filé !

Paul Fort

Arbres

[…]

Les arbres parlent arbre
Comme les enfants parlent enfant

Quand un enfant
de femme et d'homme
adresse la parole à un arbre
l'arbre répond
l'enfant l'entend.
[…]

Jacques Prévert

 Histoires et d'autres histoires, 1946

L'averse

Un arbre tremble sous le vent.
Les volets claquent.
Comme il a plu, l'eau fait des flaques.

Des feuilles volent sous le vent
Qui les disperse
Et, brusquement, il pleut à verse.

Francis Carco

 Poèmes en prose, 1958

Marche de pluie

Il tombe de l'eau, plic, ploc, plac,
Il tombe de l'eau plein mon sac.

Il pleut, ça mouille,
Et pas du vin !
Quel temps divin
Pour la grenouille.

Il tombe de l'eau, plic, ploc, plac,
Il tombe de l'eau plein mon sac.

Cochon, patauge !
Mais le cochon
Trouve du son
Au fond de l'auge.

Il tombe de l'eau, plic, ploc, plac,
Il tombe de l'eau plein mon sac.

[...]

Après la pluie
Viendra le vent.
En arrivant
Il vous essuie.

Il tombe de l'eau, plic, ploc, plac,
Il tombe de l'eau plein mon sac.

Jean Richepin

 Chanson des gueux, 1876

Chanson pour les escargots

S'il n'y avait pas
De pluie sur la terre
Il n'y aurait pas
Ruisseaux ni rivières

S'il n'y avait pas
Ruisseaux ni rivières
Il n'y aurait pas
Vaisseaux sur la mer

S'il n'y avait pas
Soleil sur la mer
Il n'y aurait pas
De nuage en l'air

S'il n'y avait pas
De nuage en l'air
Il n'y aurait pas
De pluie sur la terre

S'il n'y avait pas
De pluie sur la terre
Il n'y aurait pas
De roses trémières

Ni de primevères

Tout serait poussière
Et les escargots
Ils ne seraient guère
À leur affaire

Jacques Gaucheron

La nouvelle guirlande de Julie de Jacques Charpentreau, 1976

Chant du ciel

La fleur des Alpes disait au coquillage : « tu luis »
Le coquillage disait à la mer : « tu résonnes »
La mer disait au bateau : « tu trembles »
Le bateau disait au feu : « tu brilles »
Le feu me disait : « je brille moins que ses yeux »
Le bateau me disait : « je tremble moins que ton cœur
quand elle paraît »
La mer me disait : « je résonne moins que son nom en
ton amour »
Le coquillage me disait : « je luis moins que le phosphore
du désir dans ton rêve creux »
La fleur des Alpes me disait : « Elle est belle »
Je disais : « Elle est belle, elle est belle, elle est
émouvante »

Robert Desnos

 Corps et biens, 1930

Batterie

Soleil, je t'adore comme les sauvages,
à plat ventre sur le rivage.

[...]

Que j'ai chaud ! C'est qu'il est midi.
Je ne sais plus bien ce que je dis.

Je n'ai plus mon ombre autour de moi
soleil ! ménagerie des mois.

Soleil, Buffalo Bill, Barnum,
tu grises mieux que l'opium.

Tu es un clown, un toréador,
tu as des chaînes de montre en or.

Tu es un nègre bleu qui boxe
les équateurs, les équinoxes.

Soleil, je supporte tes coups ;
tes gros coups de poing sur mon cou.

C'est encore toi que je préfère,
soleil, délicieux enfer.

Jean Cocteau

 Poésies 1916-1923

À la gloire du vent

[…]

J'aime le vent, l'air et l'espace ;
Et je m'en vais sans savoir où,
Avec mon cœur fervent et fou,
Dans l'air qui luit et dans le vent qui passe.

Le vent est clair dans le soleil,
Le vent est frais sur les maisons,
Le vent incline, avec ses bras vermeils,
De l'un à l'autre bout des horizons,
Les fleurs rouges et les fauves moissons.

[…]

Émile Verhaeren

 La multiple splendeur, 1902

Soyez polis

[...]

Il faut aussi être très poli avec la terre et avec le soleil
Il faut les remercier le matin en se réveillant
Il faut les remercier
Pour la chaleur
Pour les arbres
Pour les fruits
Pour tout ce qui est bon à manger
Pour tout ce qui est beau à regarder
À toucher

[...]

La terre aime le soleil
Et elle tourne
Pour se faire admirer
Et le soleil la trouve belle
Et il brille sur elle
Et quand il est fatigué
Il va se coucher
Et la lune se lève

[...]

Jacques Prévert

Histoires et d'autres histoires, 1946

Poèmes
pour tous les jours

Janvier

Janvier pour dire à l'année « bonjour »
Février pour dire à la neige « il faut fondre »
Mars pour dire à l'oiseau migrateur « reviens »
Avril pour dire à la fleur « ouvre-toi »
Mai pour dire « ouvriers nos amis »
Juin pour dire à la mer « emporte-nous très loin »
Juillet pour dire au soleil « c'est ta saison »
Août pour dire « l'homme est heureux d'être homme »
Septembre pour dire au blé « change-toi en or »
Octobre pour dire « camarades, la liberté »
Novembre pour dire aux arbres « déshabillez-vous »
Décembre pour dire à l'année « adieu, bonne chance »
Et douze mois de plus par an,
Mon fils
Pour te dire que je t'aime.

Alain Bosquet

La nouvelle guirlande de Julie de Jacques Charpentreau, 1976

Si…

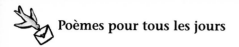

Si la sardine avait des ailes,
Si Gaston s'appelait Giselle,
Si l'on pleurait lorsque l'on rit,
Si le Pape habitait Paris,
Si l'on mourait avant de naître,
Si la porte était la fenêtre,
Si l'agneau dévorait le loup,
Si les Normands parlaient zoulou,
Si la Mer Noire était la Manche
Et la Mer Rouge la Mer Blanche,
Si le monde était à l'envers,
Je marcherais les pieds en l'air,
Le jour je garderais la chambre,
J'irais à la plage en décembre,
Deux et un ne feraient plus trois…
Quel ennui ce monde à l'endroit !

Jean-Luc Moreau

 La nouvelle guirlande de Julie de Jacques Charpentreau, 1976

À sept ans

À un an on tombe tout le temps
Un petit peu moins à deux ans
À trois ans la marche est haute
Mais à quatre ans on la saute
À cinq ans on cabriole
À six ans la grande école

Mais à sept ans on perd ses dents
Mais à sept ans on perd ses dents
On les met sous son oreiller
Une souris vient les chercher
Et vous donne à la place
Un jouet que l'on casse.

Anne Sylvestre

 La nouvelle guirlande de Julie de Jacques Charpentreau, 1976

Qui marche sur deux jambes ?...

– Qui marche sur deux jambes ?
– Le chien quand il veut un morceau de sucre.
– Qui marche sur trois jambes ?
– La table quand elle en a perdu une.
– Qui marche sur quatre jambes ?
– L'araignée, quand on lui en arrache quatre.
– Et qui marche à la fois sur deux jambes,
sur trois jambes, sur quatre jambes ?
– Je ne sais pas, je ne sais pas.
– Tu marches sur deux jambes ;
quand tu étais bébé,
tu marchais sur quatre jambes ;
plus tard, beaucoup plus tard,
t'appuyant sur un bâton,
tu marcheras sur trois jambes.

Alain Bosquet

 La nouvelle guirlande de Julie de Jacques Charpentreau, 1976

Bastien enfile tes bottes

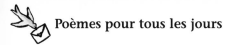

Bastien mon ami
où sont tes bottes
et ton manteau
Dépêche-toi Bastien
nous allons manquer le train
le petit train du grand jardin
où bavardent les perroquets
et où s'envolent les hirondelles
les tourterelles les coccinelles
où nous attendent depuis longtemps
les crapauds les escargots
Dépêche-toi Bastien
enfile tes bottes
n'oublie pas ton manteau
Dépêche-toi Bastien
nous allons manquer le train

Philippe Soupault

Poésies pour mes amis les enfants, 1983

Charlotte fait de la compote

Charlotte
fait de la compote
Bertrand
suce des harengs
Cunégonde
se teint en blonde
Épaminondas
cire ses godasses
Thérèse
souffle sur la braise
Léon
peint des potirons
Brigitte
s'agite, s'agite
Adhémar
dit qu'il en a marre
La pendule
fabrique des virgules
Et moi dans tout ça ?
Et moi dans tout ça ?
Moi, ze ne bouge pas
Sur ma langue z'ai un chat

René de Obaldia

 Innocentines, 1969

La petite fille

Une petite fille
Sur une balançoire
Qui se tord la cheville
Et perd la mémoire.
Un monsieur lui dit
Comment t'appelles-tu ?
Elle répond tant pis
Je ne m'en souviens plus
Est-ce que c'est Juliette
Est-ce que c'est Juliane
Est-ce que c'est Mariette
Est-ce que c'est Marianne ?
Mais ce que je sais
Je le sais bien
Rue des Serins
Numéro vingt
Habite un chien
Qui est coquin

Roland Topor

À l'huile et au vinaigre

Les petites filles
Qui ne jouent jamais aux billes,
Les grosses comme les maigres
Jouent à l'huile et au vinaigre.

Et c'est pour ça que tout de suite après
Elles préparent la salade.
La salade qui sent bon les prés
La salade qui sent bon les charades
Qui sent bon les arcs-en-ciel
Qui sentent les escargots enrobés dans du miel.

Et l'on n'a même pas besoin d'ajouter du sel !

René de Obaldia

 Innocentines, 1969

Balle qui détales

Balle
Balle qui détales
Balle reviens dans ma main
Balle je te tiens

Balle
Balle qui détales
Balle va taper le mur
et tape-le dur

Balle
Balle qui détales
Balle si tu montes haut
Tu rebondis trop

Balle
Balle qui détales
Si tu cherches à te sauver
Je vais te garder

Balle
Balle qui détales
Et tu passeras la nuit
Au pied de mon lit.

Anne Sylvestre

 La nouvelle guirlande de Julie de Jacques Charpentreau, 1976

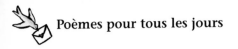

On lisait des poésies

On lisait des poésies
on a oublié
le rôti.

Le rôti est tout brûlé
charbonné
calciné.

Nous ne l'avons pas mangé
le rôti tout brûlé
charbonné
calciné.

On a mangé un sandwich
du fromage et des radis
en lisant des poésies.

Andrée Clair

Bienvenue !

Soyez les bienvenus
J'ai tout prévu

Voici pour les gros chiens
du thé chilien

Voici pour les bons chats
un bon d'achat

Pour les souris qui trottent
une carotte

Pour les oiseaux moqueurs
un mot du cœur

Pour les vieux crocodiles
un vrai fossile

Pour les orangs-outangs
un air du temps

Pour les cacatoès
mais qu'est-ce mais qu'est-ce

Pour les éléphants sages
un bon potage

Pour les chevaux malades
de la salade

Et pour les petits ânes
de la tisane

Pour les petites filles
une jonquille

Pour les petits garçons
une chanson

Et pour tous les amis
la poésie

Jacques Charpentreau

 La nouvelle guirlande de Julie de Jacques Charpentreau, 1976

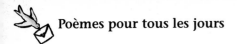

La réunion de famille

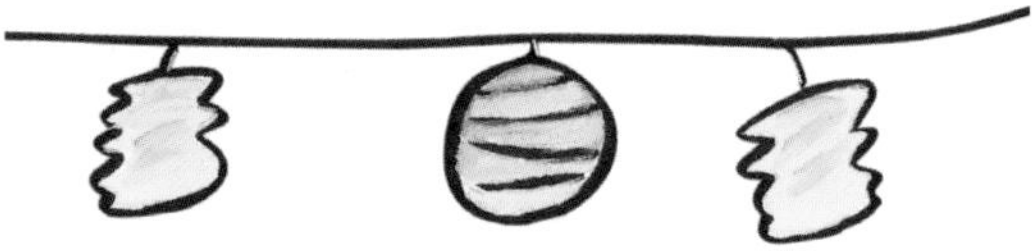

Ma tante Agathe
Vient des Carpates
À quatre pattes

Mon oncle André
Vient de Niamey
À cloche-pied

Mon frère Tchou
Vient de Moscou
Sur les genoux

Ma sœur Loulou
Vient de Padoue
À pas de loup

Grand-père Armand
Vient de Ceylan
En sautillant

Ma nièce Ada
Vient de Java
À petit pas

Mon neveu Jean
Vient d'Abidjan
Clopin-clopant

Oncle Firmin
Vient de Pékin
Sur les deux mains

Mais tante Henriette
Vient à la fête
En bicyclette

Jacques Charpentreau

La nouvelle guirlande de Julie de Jacques Charpentreau, 1976

Les bonbons

J'aime mieux les bonbons
que le gigot de mouton
J'aime mieux la cannelle
que les vermicelles
J'aime mieux les gâteaux
que la soupe aux poireaux.
J'ai des confitures
sur toute la figure
et du chocolat
du haut jusqu'en bas
Moustache de chat
filet de foie gras.

Roland Topor

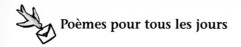

Pour les mauvais jours

Courage mon garçon
Courage polisson

Nous battrons la semelle
et le briquet

Nous couperons la ficelle
et le sifflet

Nous tiendrons la chandelle
et le bon bout

Courage polisson
Courage mon garçon

Philippe Soupault

 Poésies pour mes amis les enfants, 1983

Ménagerie

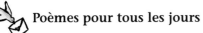

Oh ! papa ! toi qui sais tout,
Toi qui lis dans tous les livres,
Et même dans le journal
Où les lettres sont si fines,
Oh ! papa ! devine ! devine !

Ses yeux sont deux billes de verre,
Ses oreilles, feuilles de choux,
Il a mis la peau de son père,
Avec son nez de caoutchouc.
Il fait peur aux petits enfants !
Qu'est-ce que c'est ? C'est l'éléphant !

Il ne va jamais à l'école,
Il se met les doigts dans le nez,
Et quand il se gratte la tête
C'est avec ses ongles de pied.
Il n'a pas l'air très bien portant.
Devine ? C'est l'Orang-outang !

Elle dort dès qu'on la regarde,
Dès qu'on s'éloigne, elle a marché.
C'est comme une pierre malade,
Elle s'amuse à s'ennuyer !
Petit père, devines-tu ?
C'est la T. O. R. T. U. tu ?

On nous a dit qu'il est en bête,
Mais nous croyons qu'il est en bois.
Il ne bouge ni pied ni patte,
Il paraît qu'il pleure parfois,
Et pourtant, ça ne se voit pas.
C'est le crocodile, papa !

Il dit tout ce qu'on lui fait dire,
Il est vert. Il parle du nez.
Il nous demande avec colère
Si nous avons bien déjeuné.
Oh ! père, tu le reconnais !
C'est un père, le perroquet !

Il mange, il boit, il crie, il pleure,
Il se mouche dans son habit,
Il se roule dans la poussière,
Il ne fait pas ce qu'on lui dit.
Celui-là, tu l'aimes pourtant :
Petit père, c'est ton enfant !

Georges Duhamel

Mon royaume, 1932

C'est demain dimanche

Il faut apprendre à sourire
même quand le temps est gris
Pourquoi pleurer aujourd'hui
quand le soleil brille
C'est demain la fête des amis
des grenouilles et des oiseaux
des champignons des escargots
n'oublions pas les insectes
les mouches et les coccinelles
Et tout à l'heure à midi
j'attendrai l'arc-en-ciel
violet indigo bleu vert
jaune orange et rouge
et nous jouerons à la marelle

Phillippe Soupault

 La nouvelle guirlande de Julie de Jacques Charpentreau, 1976

Moi

J'aime mon père,
J'aime ma mère,
J'aime mes sœurs,
J'aime mes frères
De tout mon cœur
Et tante et oncle,
Oui, tout le monde,
Oui, tous, sauf moi
Quand je n'ai pas
Mon chocolat.

Maurice Carême

 Le moulin de papier, 1973

Amour partout

T'es ma fille ! T'es ma poule !
T'es le petit cœur qui roule
Tout à l'entour de mon cœur !
T'es le p'tit Jésus d'ta mère !
Tiens ! gnia pas d'souffrance amère
Que ma fill' n'en soit l'vainqueur.

Gnia pas à dir, faut qu'tu manges.
Quoiqu'tu vienn's d'avec les anges,
Faut manger pour bien grandir.
Mon enfant, j't'aim' tant qu'ça m'lasse
C'est comme un'cord' qui m'enlace,
Qu'ça finit par m'étourdir.

Qué qu'ça m'fait si m'manqu' queuqu'chose,
Quand j'vois ton p'tit nez tout rose,
Tes dents blanch's comm' des jasmins ;
J'prends tes yeux pour mes étoiles,
Et quand j'te sors de tes toiles
J'tiens l'bon Dieu dans mes deux mains.

T'es ma fille ! T'es ma poule !
T'es le petit cœur qui roule
Tout à l'entour de mon cœur !
T'es le p'tit Jésus d'ta mère !
Tiens ! gnia pas d'souffrance amère
Que ma fill' n'en soit l'vainqueur.

Marceline Desbordes-Valmore

 Poésies en patois, 1896

À une demoiselle malade

Ma mignonne,
Je vous donne
Le bonjour.
Le séjour
C'est prison ;
Guérison
Recouvrez,
Puis ouvrez
Votre porte,
Et qu'on sorte
Vitement,
Car Clément
Le vous mande.

[...]

Clément Marot

 L'adolescence clémentine, 1532

La maman des poissons

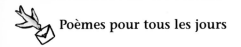

Si l'on ne voit pas pleurer les poissons
Qui sont dans l'eau profonde,
C'est que jamais quand ils sont polissons
Leur maman ne les gronde.

Quand ils s'oublient à faire pipi au lit
Ou bien sur leurs chaussettes,
Ou à cracher comme des pas polis
Elle reste muette.

La maman des poissons, elle est bien gentille !

Elle ne leur fait jamais la vie
Ne leur fait jamais de tartines
Ils mangent quand ils ont envie
Et quand ça a dîné, ça r'dîne

La maman des poissons, elle a l'œil tout rond
On ne la voit jamais froncer les sourcils
Ses petits l'aiment bien : elle est bien gentille
Et moi je l'aime bien, avec du citron !

La maman des poissons, elle est bien gentille !

[...]

Boby Lapointe

Pour ma mère

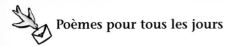

Il y a plus de fleurs
Pour ma mère, en mon cœur,
Que dans tous les vergers ;

Plus de merles rieurs
Pour ma mère, en mon cœur,
Que dans le monde entier ;

Et bien plus de baisers
Pour ma mère, en mon cœur,
Qu'on en pourrait donner.

Maurice Carême

 La lanterne magique, 1947

Tout doux…

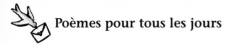

Formulette pour apprendre à marcher

Tout dou-
cement,
à pe-
tits pas,
un pour
Maman,
un pour
Papa,
on marche,
on marche,
on marche…
On court ?
On trotte, on galope –
stop !
Demi-tour !

Tout dou-
cement,
à pe-
tits pas,
etc.

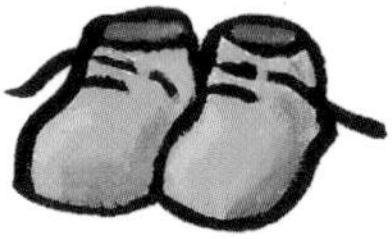

Jean-Luc Moreau

Poèmes de la souris verte, 1992

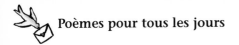

L'oreiller d'une petite fille

Cher petit oreiller, doux et chaud sous ma tête,
Plein de plume choisie, et blanc, et fait pour moi !
Quand on a peur du vent, des loups, de la tempête,
Cher petit oreiller, que je dors bien sur toi !

Beaucoup, beaucoup d'enfants, pauvres et nus, sans mère,
Sans maison, n'ont jamais d'oreiller pour dormir ;
Ils ont toujours sommeil, ô destinée amère !
Maman ! douce maman ! cela me fait gémir.

[...]

Marceline Desbordes-Valmore

 Les pleurs, 1833

Berceuse des canaris

Père Canari m'a dit :
mardi vient après lundi,
la crème après le rôti,
le grand après le petit.

Mère Canari m'a dit :
ferme les yeux, mon chéri,
quand nous aurons bien dormi,
nous volerons à Paris.

Père Canari m'a dit :
le fa vient après le mi,
la fleur après le semis.
patata suit patati.

Mère Canari m'a dit :
le jour vient après la nuit,
le soleil après la pluie,
ferme tes yeux, canari.

Pierre Gamarra

 La nouvelle guirlande de Julie de Jacques Charpentreau, 1976

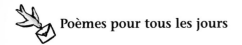

Poèmes
à poils et à plumes

La fourmi

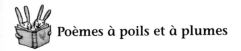

Une fourmi de dix-huit mètres
Avec un chapeau sur la tête,
Ça n'existe pas, ça n'existe pas.
Une fourmi traînant un char
Plein de pingouins et de canards,
Ça n'existe pas, ça n'existe pas.

Une fourmi parlant français,
Parlant latin et javanais,
Ça n'existe pas, ça n'existe pas.
Eh ! Pourquoi pas ?

Robert Desnos

 Chantefables et chantefleurs, 1952

OIN
COIN
OIN
COIN

Coccinelle

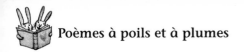

Coccinelle, demoiselle
Où t'en vas-tu donc ?
Je m'en vais dans le soleil
Car c'est là qu'est ma maison.
Bonjour, bonjour, dit le soleil,
Il fait chaud et il fait bon.
Le monde est plein de merveilles
Il fait bon se lever tôt.

Edmond Rostand

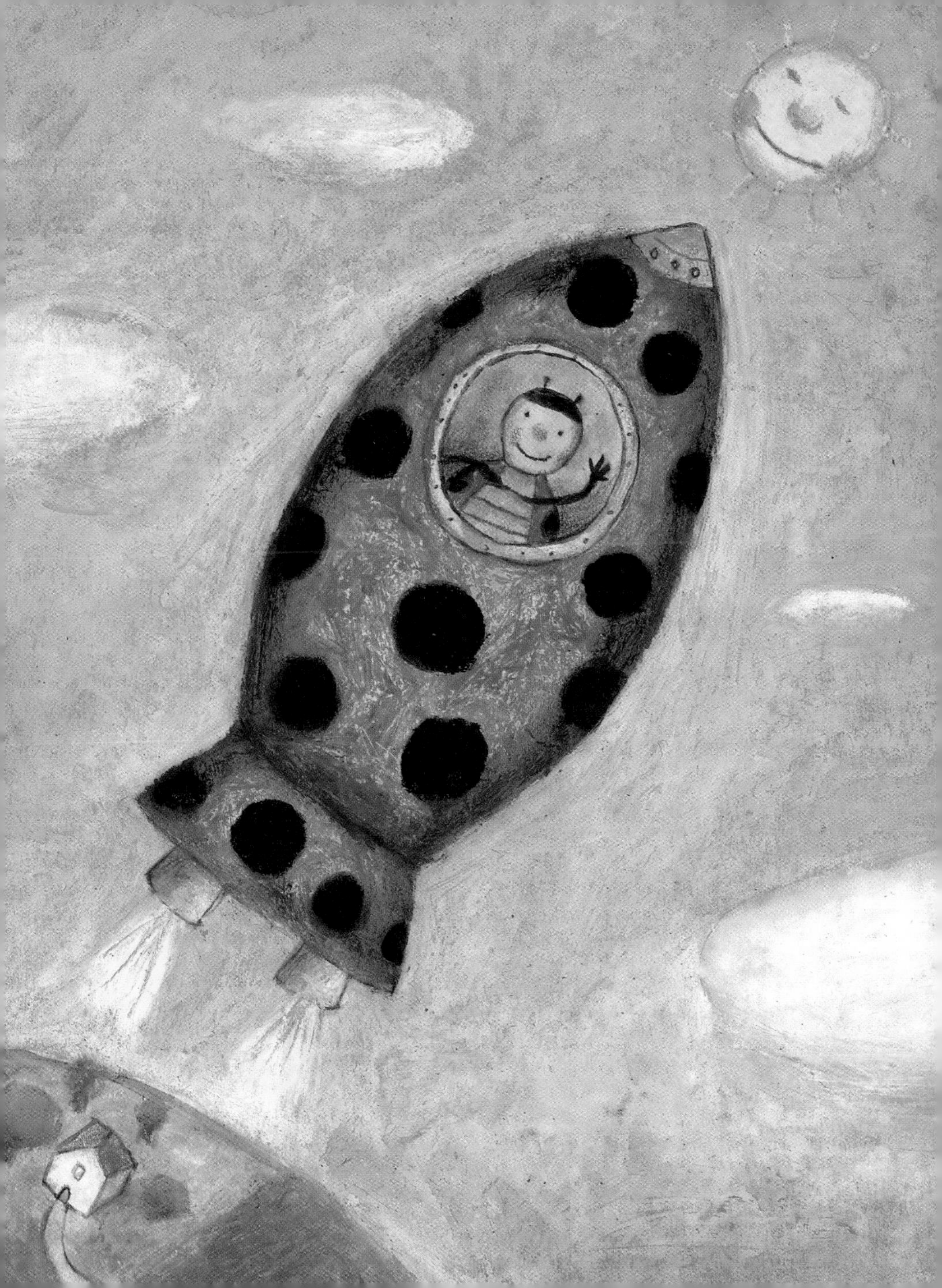

Deux petits papillons roux…

[…]
Deux petits papillons roux
Tourbillonnent, tourbillonnent,
Deux petits papillons roux
Tourbillonnent dans l'air doux.

Et tombe la feuille d'automne !
[…]

Louis Codet

 Extrait de « Chanson du chasseur » in *Poèmes et chansons,* 1926

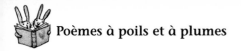

Muse-musaraigne

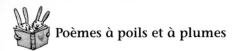

Muse-musaraigne
N'aime pas les châtaignes
N'aime pas les glands
Ni la mousse
Ni les pousses
Du sureau tout blanc.

Muse-musaraigne
Les mouches la craignent
Et les vers luisants
Mais pas les harengs
Ni les enfants
Ni les éléphants.

Anne Sylvestre

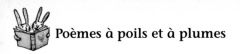

Impression fausse

Dame souris trotte,
Noire dans le gris du soir,
Dame souris trotte,
Grise dans le noir.

On sonne la cloche,
Dormez, les bons prisonniers !
On sonne la cloche :
Faut que vous dormiez.

Pas de mauvais rêve,
Ne pensez qu'à vos amours
Pas de mauvais rêve :
Les belles toujours !

Le grand clair de lune !
On ronfle ferme à côté.
Le grand clair de lune
En réalité !

Un nuage passe,
Il fait noir comme en un four.
Un nuage passe.
Tiens, le petit jour !

Dame souris trotte,
Rose dans les rayons bleus.
Dame souris trotte :
Debout, paresseux !

Paul Verlaine

 Parallèlement, 1888

L
A
JOJO
POUR LA
VIE

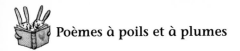

Souris blanche et souris bleue

J'ai croisé dimanche
tout près de Saint-Leu
une souris blanche
portant un sac bleu.

Elle n'a pas dit
bonjour ni merci.
Les souris ici
ne sont pas polies.

J'ai croisé lundi
une souris bleue
qu'allait à Paris
pour voir s'il y pleut.

Mais j'ai fait celui
qui ne la voit pas.

La souris s'est dit :
les hommes ici ne sont vraiment pas,
vraiment pas polis.

Claude Roy

 Enfantasques, 1974

ST LEU
CH

La mouche

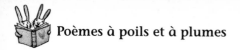

Une mouche qui cheminait
A rencontré la cheminée.
Elle se mit à éternuer.
Pourquoi ? Il faut le deviner.

Claude Roy

 Nouvelles enfantasques, 1978

ATCHOUM

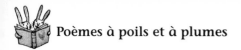

Les papillons

De toutes les belles choses
Qui nous manquent en hiver,
Qu'aimez-vous mieux ? – Moi, les roses,
– Moi, l'aspect d'un beau pré vert,
– Moi, la moisson blondissante,
Chevelure des sillons.
– Moi, le rossignol qui chante,
– Et moi, les beaux papillons !
[...]

Gérard de Nerval

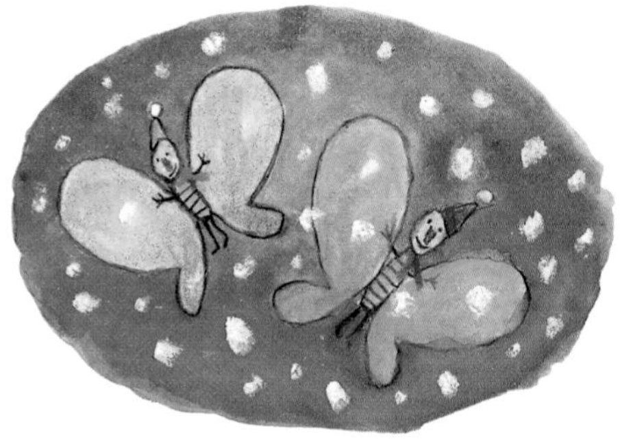

 Odelettes, 1853

Grillon

– Je suis grillé, dit le grillon, le feu a pris
dans ma maison.
– Il est grillé, dit la fourmi. Quel bon rôti
pour mon dîner !
Mais les pompiers : la sauterelle et
le criquet, ont mis l'échelle pour arroser
cette maison où le grillon allait griller.
– Enfin sauvé ! Merci, pompiers. Tous les
cricris vont s'accorder, et dans le rond
de l'amitié, toute la nuit nous danserons.

Pierre Menanteau

 À l'école du buisson, 1971

AU DOUX FOYER

Le petit crapaud

Assis sur une prune
Un petit crapaud
Regarde la lune
Qui met son chapeau.
Un chapeau à plumes
Avec des grelots
Madame la lune
Rendez-vous sur l'eau
Vous verrez la lune
Avec un chapeau
Un chapeau à plumes
Avec des grelots.

Raymond Lichet

Un bœuf gris de la Chine…

Un bœuf gris de la Chine,
Couché dans son étable,
Allonge son échine
Et dans le même instant
Un bœuf de l'Uruguay
Se retourne pour voir
Si quelqu'un a bougé.
Vole sur l'un et l'autre
À travers jour et nuit
L'oiseau qui fait sans bruit
Le tour de la planète
Et jamais ne la touche
Et jamais ne s'arrête.

Jules Supervielle

 Le forçat innocent, 1930

La vache : description

La
Vache
Est
Un

Animal
Qui
A environ

Quatre
Pattes
Qui

Descendent
Jusqu'
À terre

Jacques Roubaud

 Les animaux de tout le monde, 1983

Je vérifie !

La chèvre magique

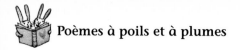

La chèvre magique
A des tiques
Dans l'oreille gauche
Dans l'oreille droite
Et tic et tac
Et gratte et gratte
La chèvre magique
Se détraque

Andrée Chedid

 Lubies, 1962

tic
tac

J'aime l'âne…

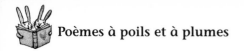

J'aime l'âne si doux
marchant le long des houx.

Il prend garde aux abeilles
et bouge ses oreilles ;

et il porte les pauvres
et des sacs remplis d'orge.

Il va, près des fossés,
d'un petit pas cassé.

Mon amie le croit bête
parce qu'il est poète.

Il réfléchit toujours.
Ses yeux sont en velours.

[…]

Francis Jammes

De l'angélus de l'aube à l'angélus du soir, 1898

100 kg

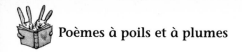

Complainte du petit cheval blanc

Le petit cheval, dans le mauvais temps, qu'il avait donc du courage ! C'était un petit cheval blanc, tous derrière et lui devant.

Il n'y avait jamais de beau temps dans ce pauvre paysage. Il n'y avait jamais de printemps, ni derrière ni devant.

Mais toujours il était content, menant les gars du village, à travers la pluie noire des champs, tous derrière et lui devant.

Sa voiture allait poursuivant sa belle petite queue sauvage. C'est alors qu'il était content, eux derrière et lui devant.

Mais un jour, dans le mauvais temps, un jour qu'il était si sage, il est mort par un éclair blanc, tous derrière et lui devant.

Il est mort sans voir le beau temps, qu'il avait donc du courage ! Il est mort sans voir le printemps, ni derrière ni devant.

Paul Fort

 Ballades françaises, 1897-1960

La biche

La biche brame au clair de lune,
Et pleure à se fondre les yeux :
Son petit faon délicieux
A disparu dans la nuit brune.

Pour raconter son infortune
À la forêt de ses aïeux,
La biche brame au clair de lune
Et pleure à se fondre les yeux.

Mais aucune réponse, aucune,
À ses longs appels anxieux !
Et, le cou tendu vers les cieux,
Folle d'amour et de rancune,
La biche brame au clair de lune.

Maurice Rollinat

 Les névroses, 1883

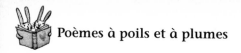

Coq

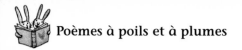

Oiseau de fer qui dit le vent
Oiseau qui chante au jour levant
Oiseau bel oiseau querelleur
Oiseau plus fort que nos malheurs
Oiseau sur l'église et l'auvent
Oiseau de France comme avant
Oiseau de toutes les couleurs

Louis Aragon

Messieurs les petits oiseaux

Messieurs les petits oiseaux,
On vide ici les assiettes,
Venez donc manger les miettes,
Les chats n'auront que les os.

Messieurs les oiseaux sont pri-
és de vider les écuelles
Et Mesdames les souris
Voudront bien rester chez elles.

C'est le temps des grandes eaux,
Le pain est dans la mangeoire,
Venez donc manger et boire,
Messieurs les petits oiseaux.

Victor Hugo

 L'art d'être grand-père, 1877

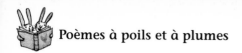

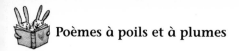

Ode à l'alouette

[…]

Si tôt que tu es arrosée,
Au point du jour, de la rosée,
Tu fais en l'air mille discours;
En l'air des ailes tu frétilles,
Et pendue au ciel tu babilles
Et contes au vent tes amours.

[…]

Pierre de Ronsard

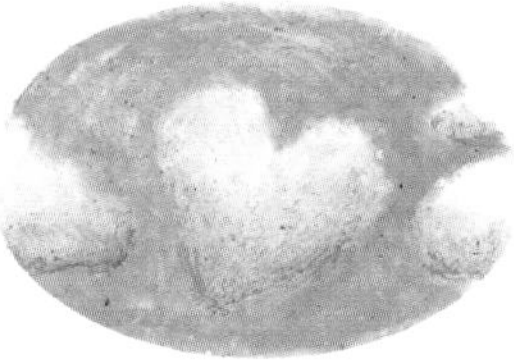

 Les œuvres, 1560

La linotte

Je suis idiote,
dit la linotte.
J'ai oublié mes bottes,
ma redingote
et ma culotte.
J'ai froid à mes menottes
et je grelotte.
J'ai la tremblote
en sautant sur les mottes.
Mais je ne suis pas sotte
je chante sur six notes
et sur ma tête de linotte,
je porte une calotte
couleur carotte.

Paul Savatier

Lapins

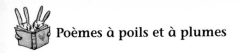

Les petits lapins, dans le bois,
Folâtrent sur l'herbe arrosée
Et, comme nous le vin d'Arbois,
Ils boivent la douce rosée.

Gris foncé, gris clair, soupe au lait,
Ces vagabonds, dont se dégage
Comme une odeur de serpolet,
Tiennent à peu près ce langage :

« Nous sommes les petits lapins,
Gens étrangers à l'écriture,
Et chaussés des seuls escarpins
Que nous a donnés la Nature.

[...]

Exempts de fiel, mais non d'humour
Et fuyant les ennuis moroses,
Tout le temps nous faisons l'amour,
Comme un rosier fleurit ses roses.

Nous sommes les petits lapins,
C'est le poil qui forme nos bottes,
Et, n'ayant pas de calepins,
Nous ne prenons jamais de notes.

[...]

Préférant les simples chansons
Qui ravissent les violettes,
Sans plus d'affaire, nous laissons
Les raffinements aux belettes.

[...]

Et, dans la bonne odeur des pins
Qu'on voit ombrageant ces clairières,
Nous sommes les tendres lapins
Assis sur leurs petits derrières. »

Théodore de Banville

Sonnailles et clochettes, 1890

KANT

La carpe

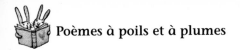

Dans vos viviers, dans vos étangs,
Carpes, que vous vivez longtemps !
Est-ce que la mort vous oublie,
Poissons de la mélancolie.

Guillaume Apollinaire

 Le bestiaire ou Cortège d'Orphée, 1911

12 1 2 3 4 5 6 7 8 9 10 11

Le hareng saur

Il était un grand mur blanc
– nu, nu, nu,
Contre le mur une échelle
– haute, haute, haute,
Et, par terre, un hareng saur
– sec, sec, sec.

Il vient, tenant dans ses mains
– sales, sales, sales,
Un marteau lourd, un grand clou
– pointu, pointu, pointu,
Un peloton de ficelle
– gros, gros, gros.

Alors il monte à l'échelle
– haute, haute, haute,
Et plante le clou pointu
– toc, toc, toc,
Tout en haut du grand mur blanc
– nu, nu, nu.

Il laisse aller le marteau
– qui tombe, qui tombe, qui tombe,
Attache au clou la ficelle
– longue, longue, longue,
Et, au bout le hareng saur
– sec, sec, sec.

Il redescend de l'échelle
– haute, haute, haute,
L'emporte avec le marteau
– lourd, lourd, lourd,
Et puis, il s'en va ailleurs
– loin, loin, loin.

Et, depuis, le hareng saur
– sec, sec, sec,
Au bout de cette ficelle
– longue, longue, longue,
Très lentement se balance
– toujours, toujours, toujours.

J'ai composé cette histoire
– simple, simple, simple,
Pour mettre en fureur les gens
– graves, graves, graves,
Et amuser les enfants
– petits, petits, petits.

Charles Cros

 Le coffret de santal, 1872

Blues

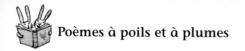

trois baleines bleues
trois baleines bleues
très musiciennes

trois blanches baleines
trois blanches baleines
sous la lune orange

baleines baleines
qui nagent légères
ont de lourdes peines

sous la lune bleue
sous la lune bleue
dans cette nuit blanche

baleines baleines
qui nagent légères
ont de lourdes peines

on croit que les baleines rient
c'est un dicton de nos misères
tontaine pour l'oncle tonton

Jean Queval

 La nouvelle guirlande de Julie de Jacques Charpentreau, 1976

JAPA

L'éléphant se douche

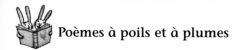

L'éléphant se douche douche douche
Sa trompe est un arrosoir

L'éléphant se mouche mouche mouche
Il lui faut un grand mouchoir

L'éléphant dans sa bouche bouche bouche
A deux défenses en ivoire

L'éléphant se couche couche couche
À huit heures tous les soirs

Raymond Lichet

LOVE

Le kangourou

La papa kangourou
n'est pas un loup-garou,
c'est un sauteur,
c'est un boxeur,
et c'est un troubadour
qui joue bien du tambour.

La maman kangourou
en faisant la nounou
porte des mioches
dedans sa poche.

Pas besoin de poussette,
c'est beaucoup plus pratique,
pas besoin de sucette,
c'est très économique.

Les parents kangourous
ont des enfants tout roux
et des neveux
et des aïeux
qui leur disent bonjour
en jouant du tambour.

Paul Savatier

Zoo

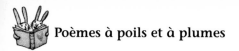

À la tombée de la nuit
quand se sont refermées les grilles
l'éléphant rêve à son grand troupeau
le rhinocéros à des troncs d'arbres

l'hippopotame à des lacs clairs
la girafe à des frondaisons de fougères
le dromadaire à des oasis tintantes
le bison à un océan d'herbes

le lion à des craquements dans les feuilles
le tigre de Sibérie à des traces sur la neige
l'ours polaire à des cascades poissonneuses
la panthère à des pelages passant dans des rayons de lune

le gorille à des bananiers croulant de leurs fleurs violettes
l'aigle à des coups de vent dans des canyons de nuages
le phoque aux archipels mouvants de la banquise disloquée
les enfants des gardiens à la plage.

Michel Butor

Poèmes pour faire la fête

Fête aux fous...

Fête aux fous
Dis-moi tout

Fête aux sages
Dis ton âge

Fête aux chiens
Ne dis rien

La fête est chez les cigales
Ça prend feu sous les étoiles.

Luc Bérimont

 Poésie n° 28-29,1973

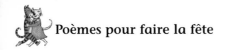

La danse de nuit

Ah ! la danse ! la danse !
Qui fait battre le cœur !
C'est la vie en cadence
Enlacée au bonheur !

Accourez, le temps vole,
Saluez, s'il vous plaît ;
L'orchestre a la parole
Et le bal est complet.

[...]

Flamme et musique en tête,
Enfants, ouvrez les yeux,
Et frappez, à la fête,
Vos petits pieds joyeux.

Marceline Desbordes-Valmore

Poésies inédites, 1860

Sur la maison du rire…

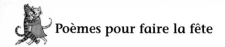

Sur la maison du rire
Un oiseau rit dans ses ailes.
Le monde est si léger
Qu'il n'est plus à sa place
Et si gai
Qu'il ne lui manque rien.
[…]

Paul Éluard

 Mourir de ne pas mourir, 1924

DU NORD
Tropique
Mer du Mexique
Mexique
Havane
Cuba
Haïti
Cancer
Dt de Gibraltar
AFRIQUE
Méridiens
GRAND OCEAN
Antilles
Amérique Centrale
Panama
Venezuela
Colombie
Bogota
Quito
Guyane
Equateur
OU
PACIFIQUE
AMERIQUE
Pérou
Lima
Pernambouc
Brésil
Bolivie
La Paz
Tropique du Capricorne
DU SUD
Rio Janeiro
Paraguay
Santiago
Uruguay
Montevideo
B. Ayres
C. Horn
Cercle polaire antarctique

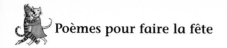

Saltimbanques

Dans la plaine les baladins
S'éloignent au long des jardins
Devant l'huis des auberges grises
Par les villages sans églises

Et les enfants s'en vont devant
Les autres suivent en rêvant
Chaque arbre fruitier se résigne
Quand de très loin ils lui font signe

Ils ont des poids ronds ou carrés
Des tambours des cerceaux dorés
L'ours et le singe animaux sages
Quêtent des sous sur leur passage

Guillaume Apollinaire

 Alcools, 1913

L'amiral

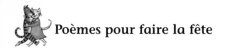

L'amiral Larima
Larima quoi
la rime à rien
l'amiral Larima
l'amiral Rien.

Jacques Prévert

Le clown

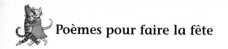

Un clown rigolo
Qui s'appelle Coquelicot
On lui donne une claque
Ça le rend patraque
On lui donne un baiser
Il tombe de côté
Il tombe sur un os
Ça lui fait une bosse
Il tombe dans le feu
Ça lui fait des bleus.
Aille ! Ouille !
Ça fait mal
J'ai les yeux qui mouillent
comme une grenouille

Roland Topor

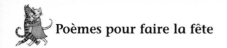

Le bonhomme Noël

Tout près de l'étang qui reflète
Les peupliers, au vent courbés,
J'ai vu passer, oh ! quelle fête !
Le bonhomme cher aux bébés.

Par les sentiers, sous la feuillée,
Il s'en allait à petits pas,
Tout joyeux, la mine éveillée,
Comme s'en vont les grands-papas.

Clovis Hugues

 Les évocations, 1885

Bonne année !

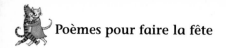

Bonne année à toutes les choses :
Au monde ! À la mer ! Aux forêts !
Bonne année à toutes les roses
Que l'hiver prépare en secret.

Bonne année à tous ceux qui m'aiment
Et qui m'entendent ici-bas...
Et bonne année aussi, quand même,
À tous ceux qui ne m'aiment pas !

Rosemonde Gérard

 Rien que des chansons, 1929

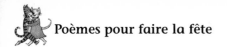

Chanson de Pâques

Mon âme est pleine de cloches,
Mon âme est pleine d'oiseaux !
Je vois au miroir des eaux
Trembler les étoiles proches.

Mon âme est pleine d'églises,
Mon âme est pleine de fleurs !
Les enfants oublient leurs pleurs
À chanter parmi les brises.

Mon âme est pleine d'archanges,
Mon âme est pleine d'essors !
J'entends travailler les forts
Pour l'espoir secret des granges.

Mon âme est pleine de joie,
Mon âme est pleine de dieux !
Amour, bande-moi les yeux
Pour me guider dans la voie !

Stuart Merrill

 Les quatre saisons, 1900

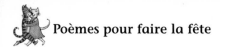

La chauve-souris

À mi-carême, en carnaval,
On met un masque de velours.

Où va le masque après le bal ?
Il vole à la tombée du jour.
Oiseau de poils, oiseau sans plumes,
Il sort, quand l'étoile s'allume,
De son repaire de décombres.
Chauve-souris, masque de l'ombre.

Robert Desnos

 Chantefables et chantefleurs, 1952

Mardi gras

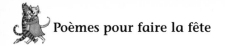

Alléluia !
C'est mardi gras.
Les escargots
S'en vont au trot
Dans les assiettes.
Et les galettes
Se noient à flot
Dans le sirop.
Alléluia !
Qui sera là
Ne se mordra
Pas que les doigts.
Alléluia !
Les choux sont gras.
Il y en a
Pour tous les gars.
Dansez, fourchettes,
Sautez, noisettes.
Alléluia !
C'est mardi gras.

Maurice Carême

 L'arlequin, 1970

Chevalerie

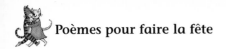

Je suis le chevalier des Bigoudis en Fleurs.
Malheur !
Mort-aux-rats !
To be or not to be !
Goudivera !
À celui qui touchera
Aux cheveux de ma petite sœur !

René de Obaldia

 Innocentines, 1969

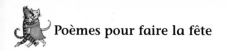

La comtesse Esmérée

Sur un cheval tout noir à la crinière rousse,
Il galope sur la mousse.

En toque de velours avec des plumes blanches
Il passe sous les branches.

Au galop ! au galop ! il passe sous les branches
Avec ses plumes blanches.

[...]
Assise à son balcon, sans page et sans duègne
La comtesse se peigne.

[...]
« – Beau capitaine qui passez, la mine fière,
Allez-vous à la guerre ?

– Je vais pour épouser la fille de la reine,
La reine ma marraine.

– Comme un diamant bleu reluit ta barbe brune,
Mes cheveux sont clair de lune ;

[...]
Et, lorsque je souris, des lys et des jasmins
Me tombent dans les mains... »

La belle dans ses bras, il passe sous les branches
Avec ses plumes blanches.

Il n'épousera pas la fille de la reine,
La reine sa marraine.

Jean Moréas

 Les cantilènes, 1886

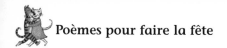

Le cheval de bois

Dame, belle dame, au pas grave et lent,
Une, deux,
De ton fier cheval, de ton cheval blanc,
Sans me regarder, tu vas fièrement,
Une, deux.

Si je le voulais, j'irais comme toi,
Une, deux,
Sur un vrai cheval, mais le mien, à moi,
M'obéit bien mieux, car il est en bois.
Une, deux.

Paul Verlaine

Pour les enfants et pour les raffinés

À Paris
sur un cheval gris
À Nevers
sur un cheval vert
À Issoire
sur un cheval noir
Ah, qu'il est beau ! Qu'il est beau !
Ah, qu'il est beau ! Qu'il est beau !
Tiou !

[...]

Et à Paris, papa chéri.
Fais à Paris !
qu'est-ce que tu me donnes à Paris ?

Je te donne pour ta fête
Un chapeau couleur noisette
Un petit sac en satin
Pour le tenir à la main.
Un parasol en soie blanche
Avec des glands sur le manche
Un habit doré sur tranche
Des souliers couleur orange.
Ne les mets que le dimanche
Un collier, des bijoux
Tiou !

C'est la cloche qui sonne
Pour ma fille Yvonne !
C'est la cloche de Paris
Il est temps d'aller au lit
C'est la cloche de Nogent
Papa va en faire autant.
C'est la cloche de Givet
Il est l'heure d'aller se coucher.

Ah ! non ! pas encore ! dis !
Achète-moi aussi une voiture en fer
Qui lève la poussière
Par-devant et par-derrière,
Attention à vous !
Mesdames les garde-barrières
Voilà Yvonne et son p'tit père
Tiou !

Max Jacob

 Saint Matorel, 1912

NOIR
VERT
GRIS

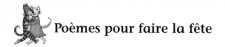

Chanson de Barberine

Beau chevalier qui partez pour la guerre,
Qu'allez-vous faire
Si loin d'ici ?
Voyez-vous pas que la nuit est profonde,
Et que le monde
N'est que souci ?

Vous qui croyez qu'une amour délaissée
De la pensée
S'enfuit ainsi,
Hélas ! hélas ! chercheurs de renommée,
Votre fumée
S'envole aussi.

Beau chevalier qui partez pour la guerre,
Qu'allez-vous faire
Si loin de nous ?
J'en vais pleurer, moi qui me laissais dire
Que mon sourire
Était si doux.

Alfred de Musset

Princesse lointaine

Capitaine ! Capitaine !
Capitaine au long cours
Tout seul sur ton navire
Au milieu des requins
Et la mer en délire
Bascule sous ta main,
Je suis la princesse lointaine
Rue de la République à Saint-Flour
Numéro vingt-trois
Et je me meurs d'amour
Pour toi, pour toi
Beau capitaine
Que je verrai peut-être un jour…
[…]

René de Obaldia

Une fée

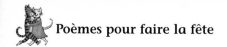

Ah ! c'est une fée
Toute jeune encor,
Ah ! c'est une fée
De lune coiffée.

À sa robe verte
Un papillon d'or
À sa robe verte,
À peine entr'ouverte.

Elle va légère,
Au son du hautbois,
Elle va légère
Comme une bergère.

Elle suit la ronde
Des dames du bois,
Elle suit la ronde
Qui va par le monde.

Gabriel Vicaire

 L'heure enchantée, 1890

Les elfes

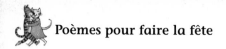

Couronnés de thym et de marjolaine,
les elfes joyeux dansent dans la plaine.
Du sentier des bois aux daims familier,
sur un noir cheval, sort un chevalier.
Son éperon d'or brille en la nuit brune ;
Et, quand il traverse un rayon de lune,
on voit resplendir, d'un reflet changeant,
sur sa chevelure un casque d'argent.
Couronnés de thym et de marjolaine,
Les elfes joyeux dansent sur la plaine.

[...]

Charles-Marie Leconte de Lisle

Poèmes barbares, 1862

Chanson

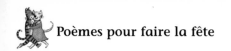

Les myrtilles sont pour la dame
Qui n'est pas là.
La marjolaine est pour mon âme
Tralala !
Le chèvrefeuille est pour la belle
Irrésolue.
Quand cueillerons-nous les airelles
Lanturlu !
Mais laissons pousser sur la tombe,
Ô folle ! Ô fou !
Le romarin en touffes sombres
Laïtou !

Guillaume Apollinaire

 Il y a, 1925

19

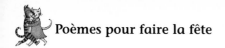

Quartier libre

J'ai mis mon képi dans la cage
Et je suis sorti avec l'oiseau sur la tête
Alors
On ne salue plus
A demandé le commandant
Non
On ne salue plus
A répondu l'oiseau
Ah bon
Excusez-moi je croyais qu'on saluait
A dit le commandant
Vous êtes tout excusé tout le monde peut se tromper
A dit l'oiseau

Jacques Prévert

 Paroles, 1949

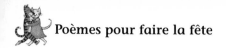

Le dromadaire

Avec ses quatre dromadaires
Don Pedro d'Alfaroubeira
Courut le monde et l'admira.
Il fit ce que je voudrais faire
Si j'avais quatre dromadaires.

Guillaume Apollinaire

 Le bestiaire ou Cortège d'Orphée, 1911

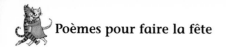

Le milliardaire

John apportait un plateau
sur lequel était un bateau.

Monsieur assis sur son lit
passa son habit et dit :

« Posez ça là quelque part
je termine mon cigare. »

Une heure après John revint :
la fenêtre était ouverte
dans le lit il n'y avait rien
rien non plus sous la Plante Verte
et rien du tout sur le plateau.

– Monsieur est parti en bateau –

Jean Tardieu

 Monsieur, Monsieur, 1951

C'est un navire magnifique...

[...]
C'est un navire magnifique
Bercé par le flot souriant,
Qui sur l'Océan Pacifique,
Vient du côté de l'Orient !

[...]

Ses voiles sont comme des ailes
Au souffle qui vient les gonfler ;
Il vogue, il vogue vers la plage,
Et comme le cygne qui nage,
On sent qu'il pourrait s'envoler !

[...]

Victor Hugo

 Les feuilles d'automne, 1831

Une vieille bavarde...

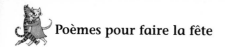

Une vieille bavarde
Un postillon gris
Un âne qui regarde
La corde d'un puits
Des roses et des lys
Dans un pot de moutarde
Voilà le chemin
Qui mène à Paris

Alphonse de Lamartine

M.
PARIS

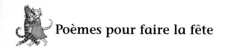

Ixatnu siofnnut i avay

Y'avait une fois un taxi
taxi taxi taximètre
qui circulait dans Paris
taxi taxi taxi cuit

il aimait tant les voyages
taxi taxi taximètre
qu'il allait jusqu'en Hongrie
taxi taxi taxi cuit

[...]

Raymond Queneau

Courir les rues, 1967

TAXI

Voyelles

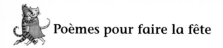

A noir, E blanc, I rouge, U vert, O bleu : voyelles.

[...]

Arthur Rimbaud

 Poésies, 1886

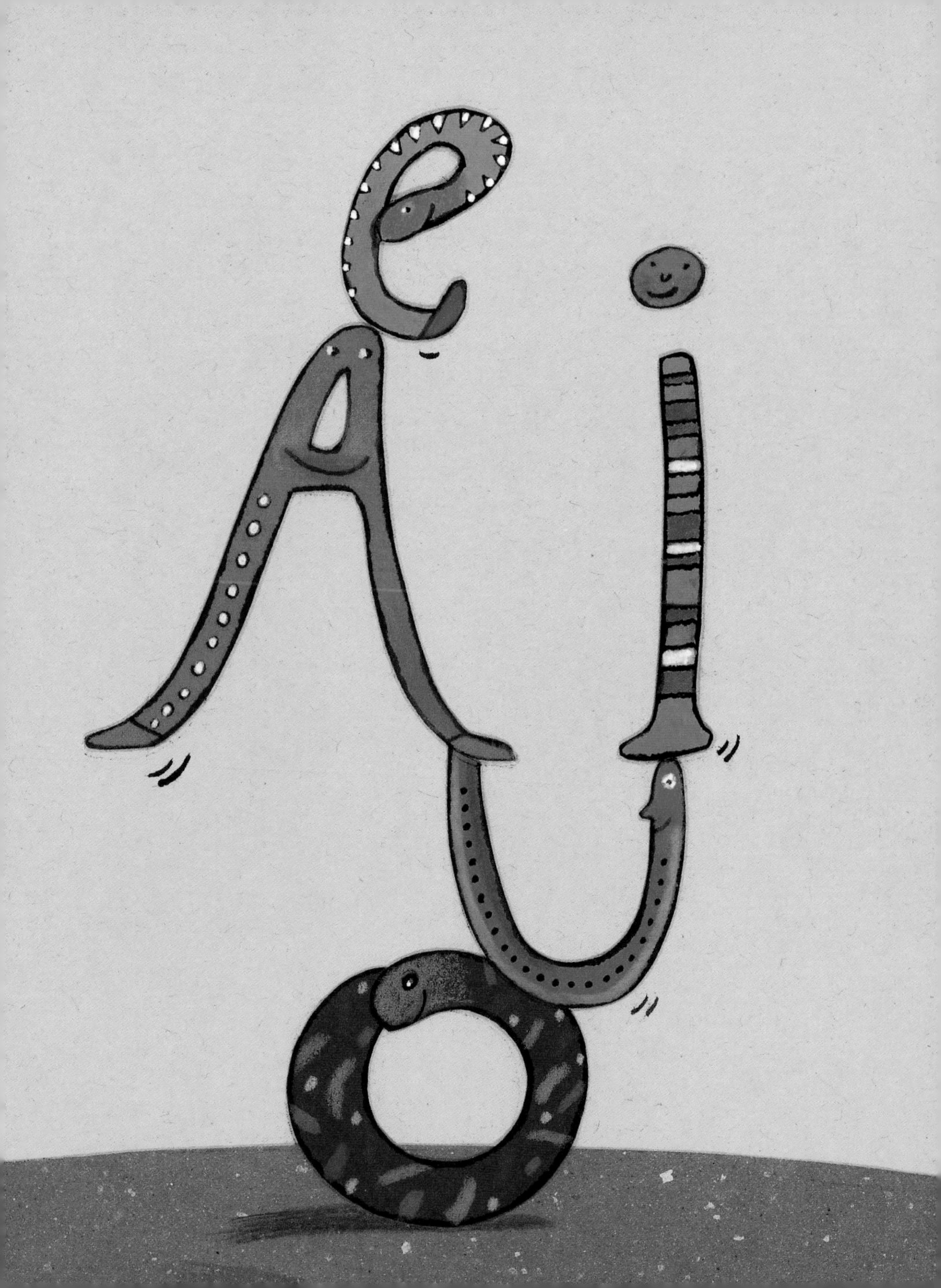

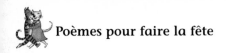

Chanson de grand-père

Dansez, les petites filles,
Toutes en rond.
En vous voyant si gentilles,
Les bois riront.

Dansez, les petites reines,
Toutes en rond.
Les amoureux sous les frênes
S'embrasseront.

Dansez, les petites folles,
Toutes en rond.
Les bouquins dans les écoles
Bougonneront.

Dansez, les petites belles,
Toutes en rond.
Les oiseaux avec leurs ailes
Applaudiront.

Dansez, les petites fées,
Toutes en rond.
Dansez de bleuets coiffées,
L'aurore au front.

Dansez, les petites femmes,
Toutes en rond.
Les messieurs diront aux dames
Ce qu'ils voudront.

Victor Hugo

L'art d'être grand-père, 1877

La ronde

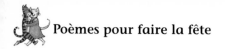

Si toutes les filles du monde voulaient
s'donner la main, tout autour de la
mer elles pourraient faire une ronde.

Si tous les gars du monde voulaient
bien être marins, ils f'raient avec leurs
barques un joli pont sur l'onde.

Alors on pourrait faire une ronde
autour du monde, si tous les gens
du monde voulaient s'donner la main.

Paul Fort

 Ballades françaises, 1897-1960

ASIE
AFRIQUE
Sahara
Soudan
Abyssinie
Arabie
Tripoli
Egypte
Maroc
Algérie
Niger
Cameroun
Congo Belge
Angola
Damara
Le Cap
OCÉAN
INDIEN
Tropique du Cancer
Equateur

TABLE DES POÈMES

Poèmes pour faire le tour de la Terre

Poèmes pour tous les jours

Poèmes à poils et à plumes

Poèmes pour faire la fête

L'éditeur tient à remercier les auteurs, ayant droits et éditeurs qui l'ont autorisé à reproduire les textes dont le copyright entier leur appartient :

Les éditions Gallimard pour les pages 8, 10, 22, 28, 30, 34, 42, 44, 48, 60, 78,112, 114, 122, 134, 162, 166, 184, 198, 202 et 208.
Les éditions Flammarion pour les pages 24, 32, 126, 130 et 214.
Les éditions de l'Atelier pour les pages 26, 40, 52, 54, 56, 58, 68, 72, 74, 82, 98 et 148.
Les éditions Albin Michel pour la page 36.
Les éditions Bernard Grasset pour les pages 62, 66, 172, 180 et 190.
Monsieur Nicolas Topor pour les pages 64, 76 et 168.
Les éditions de l'École des loisirs pour la page 70.
Les éditions Mercure de France pour les pages 80 et 128.
La Fondation Maurice Carême pour les pages 84, 92 et 178.
Les éditions Labrador, représentées par Francis Dreyfus Music, pour la page 90.
Les éditions Hachette pour la page 94.
Les éditions Gründ pour les pages 102 et 176.
Les éditions EPM pour la page 108.
Le Cherche Midi éditeur pour les pages 118 et 158.
Monsieur Raymond Lichet pour la page 120.
Monsieur Jacques Roubaud pour la page 124.
Les éditions du Sorbier pour les pages 140 et 152.
Le studio SM (autorisation GECC 01/034) pour la page 150.
Monsieur Michel Butor pour la page 154.

Nous invitons les auteurs ou ayants droit que, malgré nos recherches, nous n'aurions pas réussi à contacter, à se mettre en rapport avec nous.

Dans la même collection

101 poésies et comptines
tout autour du monde

101 poésies et comptines
du bout du pré

101 chansons de toujours

101 poésies et comptines
des quatre saisons

101 comptines à mimer
et à jouer

101 poèmes pour les petits

Déjà parus

101 poésies et comptines

44 ballades et poésies
autour de la terre, ta maison

Photogravure : Color'way
Impression et reliure : Pollina s.a., 85400 Luçon
N° d'impression : L 85843 - N° d'éditeur : 7143
Imprimé en France